Nach den Regeln der neuen deutschen Rechtschreibung
Lizenzausgabe für Findling Buchverlag Lüneburg GmbH, D-21339 Lüneburg
ISBN 3-937054-07-3

© Nord-Süd Verlag AG, Gossau ZH
Lithografie: Photolitho AG, Gossau ZH
Gesetzt in der Stempel Garmond, 11 Punkt
Druck: Proost N.V., Turnhout

Hans de Beer

Kleiner Braunbär

wovon träumst du?

Findling Buchverlag Lüneburg

Der kleine Braunbär saß vor seiner Höhle am Waldrand.
Bernhard war traurig. Seit einigen Tagen nämlich fielen die
Blätter von den Bäumen, und gerade schwebte wieder ein
buntes, kleines Blatt an seiner Nase vorbei zu Boden.
Bernhard war zwar noch ein junger Braunbär, doch er wusste
genau, was das bedeutete: Der Sommer war vorüber, und
der Winter stand bevor.

   Bernhard mochte den Winter nicht. Früher, mit der
Mutter und den Geschwistern in der großen Familienhöhle,
ja, das waren noch schöne Winter gewesen. Aber letztes Jahr
das erste Mal so ganz allein, Woche für Woche, Monat für
Monat, das hatte ihm überhaupt nicht gefallen...

   »Alle Bären sollten zusammen in einer einzigen großen
Bärenhöhle Winterschlaf halten!« dachte Bernhard. Und weil
er das für eine tolle Idee hielt, ging er gleich zu den anderen
Bären im Wald und erzählte ihnen von seiner tollen Idee.
Doch sie schüttelten nur den Kopf, und einer sagte ziemlich
schnippisch: »Wohl zu faul, um dir selber eine gemütliche
Höhle zu bauen, was?«

Ein wenig lustlos fing der kleine Braunbär ein paar Tage später damit an, seine Höhle winterfest zu machen. »Gemütlich einrichten...«, brummelte er, »so ganz allein...?«

»Warum fliegst du nicht in den Süden?«, schlug Susi Schwalbe vor. Sie war vorbeigekommen, um sich zu verabschieden. »Komm mit mir, statt dich in deiner stickigen Höhle zu verkriechen! Sonne, Palmen, Strand und Meer!«, zwitscherte sie, erhob sich in die Luft und war im Nu verschwunden.

»Könnte mir auch gefallen!« dachte Bernhard. Doch, wie so oft, lag zwischen dem Denken und dem Tun ein langer Weg. Und so kam es, dass Bernhard, erst als alle anderen Bären schon längst in ihren Höhlen verschwunden waren, genug Mut hatte für die Reise in den Süden.

»Sonne, Strand und Palmen, ich komme!«, rief er.

Aber als der kleine Braunbär einen Tag später einsam und allein durch den kalten, windigen Wald irrte, weil er eigentlich keine Ahnung hatte, wo das Meer und die Palmen überhaupt waren, musste er immer fester an den Süden denken, um nicht sofort wieder umzukehren.

Es hatte angefangen zu schneien. Der Wind blies in Bernhards Fell, und Schneekristalle brannten in seinen Augen. »Wie weit ist es denn noch bis zum Süden?«, murmelte er und stemmte sich mit aller Kraft dem Schneesturm entgegen.

Bald war der Wald weiß. Und als es endlich aufhörte zu schneien, zitterte Bernhard vor Kälte. Oder war es vor Müdigkeit? Er gähnte und rieb sich die Augen, und als er sich umguckte, rieb er sich noch einmal die Augen, denn mitten im Wald, halb vom Schnee bedeckt, sah er in einer Senke einen kleinen Lastwagen.

»Vielleicht kann ich mich da drin ein bisschen aufwärmen«, sagte er sich. »Ein Auge voll Schlaf, und dann geht's weiter.« Und er rutschte vorsichtig zur Blechhöhle hinab.

»Wie es wohl drinnen aussieht...?« Bernhard wischte mit der Tatze den Schnee von der Windschutzscheibe. Mit großen Augen blickte er ins Wageninnere. Und es dauerte eine Weile, bis er etwas erkennen konnte. Doch dann sah er, dass ihn drei Siebenschläfer ängstlich anstarrten.

Eigentlich schlafen Siebenschläfer sieben lange Wintermonate lang, doch Bernhard musste die drei mit seiner kratzenden Tatze geweckt haben; jedenfalls waren sie hellwach und fingen gleich an zu kreischen: »Ein Bär! HILFE, EIN BÄÄÄR!!«

So freundlich wie möglich fragte Bernhard die drei,
ob er eventuell, vielleicht, unter Umständen, nur für eine
Nacht, auf keinen Fall länger, eine Bleibe, ein bisschen
ausruhen…?

»Nein! Nie und nimmer!«, unterbrach ihn der
mutigste der drei Siebenschläfer.

»Ehm, Verzeihung, aber wir haben im Moment kein
Zimmer frei«, ergänzte der zweite.

»Der Lastwagen ist voll…«, piepste der dritte und kleinste.

»Und außerdem ist dies ein ordentlicher, sauberer kleiner
Lastwagen! Nichts für einen großen, nassen, braunen Bären
wie dich!«, sagte der erste. Und blitzschnell drückte er
die Türhebel nieder, sodass die Türen verschlossen waren.

Bernhard staunte. »Ihr wollt mich also nicht reinlassen,
was?«, knurrte er. Langsam wurde er wütend. Und nach einer
Weile wurde er SEHR wütend. Er fing an, den kleinen
Lastwagen hin- und herzuschütteln, und er wummerte mit
beiden Tatzen gegen die Türen und sprang so lange auf
dem Dach der Fahrerkabine herum, bis die Siebenschläfer
seekrank waren und schließlich keine andere Wahl mehr
hatten, als ihn hereinzulassen.

»Ich bin Bernhard«, versuchte Bernhard ein Gespräch anzufangen. Doch die Siebenschläfer antworteten nicht. Sie drückten sich so dicht aneinander wie möglich und so weit von Bernhard entfernt, wie es nur ging, und sahen ihn vorwurfsvoll an.

Draußen wurde es immer kälter. Im Lastwagen aber war es bald angenehm warm mit dem großen Bären. Und es dauerte nicht lange, bis alle vier eingeschlafen waren – eng aneinander gekuschelt. Und langsam wurde der kleine Lastwagen fast völlig eingeschneit.

Der kleine Braunbär erwachte mit einem lauten Niesen.
Er fühlte sich frisch und munter und kurbelte das Seiten-
fenster herunter. Draußen strahlte ein eisiger Winterhimmel
über dem Schneewald. Bernhard drehte sich um: Die drei
Siebenschläfer schliefen tief und fest.

»Ihr werdet Augen machen!«, sagte Bernhard zu sich und
kletterte hinaus...

Seltsame Geräusche weckten die Siebenschläfer. Sie
fanden Bernhard, wie er halb unter der Motorhaube lag und
fröhlich am Motor herumbastelte. Er erzählte den dreien von
Susi Schwalbe und dem Meer, vom Strand und den Palmen
und dem sonnigen Süden.

»Mit diesem alten Lastwagen?«, fragte der kleinste Siebenschläfer ängstlich und deutete auf die Motorteile, die im
Schnee verstreut lagen.

»Aber klar!«, rief Bernhard unter der Motorhaube hervor.
»Kein Problem.«

»Kein Problem«, flöteten da auch die anderen beiden
Siebenschläfer und tauchten unter die Motorhaube.

Bernhard, der Automechaniker, und seine beiden Hilfs-
mechaniker sollten Recht behalten.

Bernhard schob den Lastwagen an, und nach einigem
Qualmen und Knallen und Stottern und Prusten schnurrte
der kleine Lastwagen wie eine Katze in der Mittagssonne.
Und los ging die Reise.

Es dauerte nicht lange, und sie ließen den Schnee hinter
sich zurück. Und je weiter sie fuhren, desto lauter und
fröhlicher sangen sie im kleinen Lastwagen, denn die Siebenschläfer kannten viele schöne Lieder, und Bernhard Bär
hatte eine kräftige Bassstimme.

Und während sie ihren Weg in den Süden suchten, dachte
Bernhard nur noch ganz selten an seinen Wald und die
Familienhöhle zurück.

Schon von weitem hatte Herr Dachs den Lastwagen gehört.
   »Wenn das so ist«, sagte er, als Bernhard ihm erklärt hatte,
wo sie hin wollten, »würd' ich auch gern mitkommen!«
   »Wir haben Platz genug!«, riefen die Siebenschläfer.
Herr Dachs sollte nicht der Einzige sein, der mitfahren wollte…
   Sie fuhren und fuhren. Und als schließlich eine herrlich
laue Luft um Bernhards Nase wehte, war der kleine Lastwagen
voll mit großen und kleinen Tieren. Und alle sangen mit Bernhard
und den drei Siebenschläfern laute und fröhliche Lieder.

In einer kühnen Kurve lenkte Bernhard den Lastwagen
an den Strand und hielt an. Endlich hatten sie es erreicht:
das Meer, die Palmen, den sonnigen Süden. »Jippieh!«, riefen
die Tiere. Und alle waren sich einig, wie schön warm es hier
doch war!

»Ganz schön warm, nicht?«, sagte Bernhard nach einer
Weile zu den drei Siebenschläfern. Die nickten stumm und
rückten immer weiter in den Schatten. Aber auch im Schatten
war es warm, und es wurde immer wärmer in ihrem dicken
Winterfell.

»Dass es sooo warm ist, haben wir nicht gedacht…«,
keuchten die Siebenschläfer.

»Schrecklich warm…«, schnaufte Bernhard, und seine
Zunge hing ihm weit aus dem Maul. »Viel zu warm…«

»…warm… schrecklich warm…«, murmelte Bernhard noch immer vor sich hin, als er aufwachte. Die Sonne schien, und auf seiner Brust lagen die drei Siebenschläfer und schliefen.

»Kein Wunder, dass mir so warm war«, sagte Bernhard lächelnd. Dann sprang er mit einem Ruck auf und raus aus dem Wagen. Die Siebenschläfer purzelten durcheinander, und als sie sich von dem Schrecken erholt hatten, kletterten sie verschlafen aus der Fahrerkabine.

Draußen stand der kleine Braunbär und sah sich verwundert um.

»Aber… aber, die Palmen… wo sind die Palmen?«, stammelte er. »Ich dachte, wir sind weggefahren…!«

»Weggefahren? Wieso denn? Wir haben herrlich lang geschlafen!«, sagten die Siebenschläfer und streckten sich in der milden Frühlingssonne.

»Ein traumhafter Winterschlaf!«, sagten die drei Siebenschläfer.

»Stimmt, ein Traum von einem Winterschlaf!«, sagte
Bernhard. Für ihn war es genau wie früher, als noch alle
Bären zusammen in der Familienhöhle Winterschlaf gehalten
hatten. Und die Siebenschläfer hatten noch niemals so
unbesorgt durchschlafen können wie mit dem großen,
kleinen Braunbären.

»Und so herrlich warm!«, sagte der kleinste Siebenschläfer
und seufzte.

»Ja, ganz schön warm«, sagte Bernhard und kicherte
hinter seiner Pfote.

Für die Siebenschläfer wurde es Zeit, wieder in die Bäume
zu klettern, und Bernhard wollte in seinen Wald zurück-
kehren.

Beim Abschied verabredeten sie sich schon für den
nächsten Winter: »Selbe Zeit, selber Lastwagen!«, riefen sie.
Und wie richtige Freunde hörten sie erst auf zu winken,
als sie sich wirklich nicht mehr sehen konnten.